이런, 이십구

이런, 이십구

발 행 | 2023년 12월 31일
저 자 | 테오1, 테오2, 테오3, 테오4
펴낸이 | 한건희
펴낸곳 | 주식회사 부크크
출판사등록 | 2014.07.15.(제2014-16호)
주 소 | 서울특별시 금천구 가산디지털1로 119 SK트윈타워 A동 305호
전 화 | 1670-8316
이메일 | info@bookk.co.kr

ISBN | 979-11-410-6060-2

www.bookk.co.kr

이런, 이십구

테오1, 테오2, 테오3, 테오4 지음

CONTENT

들어가는 말 8

제 1 장 ? 10
제 2 장 준비 16
제 3 장 가방 24
제 4 장 적 32
제 5 장 공감 40
제 6 장 그릇 46
제 7 장 ! 54
제 8 장 절제 60
제 9 장 사랑 66
제 10 장 숫자 72
제 11 장 그늘 80
제 12 장 독립 86

안녕하세요, 테오입니다.

저희는 모두 같은 대학교 같은 학과를 나온 친구이자 95년생 동갑내기들입니다. 우리는 어느새 책보다는 핸드폰을 더 많이 보고 각종 미디어 콘텐츠에 익숙해져 있죠. 그로 인해 점점 퇴화하는 듯한 어휘력과 문해력, 문학적 감수성을 회복하고자 가벼운 마음으로 3년 전 시작한 모임이었습니다. 그렇게 가벼운 나날들이 쌓여 책까지 집필하게 되었네요.

저희의 이름이자 모임의 이름인 "테오"는 영혼의 화가라고 불리는 빈센트 반 고흐의 동생인 테오 반 고흐(Theo van Gogh)의 이름에서 따왔습니다. 고흐라는 위대한 화가에게 테오라는 영혼의 조력자가 있었듯 저희도 서로에게 애정과 지지를 보내며 깊은 생각을 나누었으면 하는 마음에 모임 이름을 이렇게 짓게 되었습니다.

이 책은 지금까지 경험했던 것들을 바탕으로 그리고 30살을 앞둔 29살의 테오들이 써 내려간 글입니다. 12가지의 주제 속 각자의 글에는 부자연스러운 감정보다는 솔직한 감정들을 담아 보았습니다. 이 이야기는 우리 모두의 이야기일 것 같습니다. 친구의 일기장을 보듯 편하게 감상해 주세요.

테오 올림.

제 1 장

?

테오1
: 서퍼

하루에도 높고 낮은 파도를 타는 나는 서퍼

작은 일에 한숨 쉬기도 킥킥대며 웃기도
큰일에 멘붕이 되기도 대수롭지 않아 하기도 한다.

회사 선배는 나를 몽글몽글하다고 표현했다.
화를 낼 수도 있는 상황에 화내지 않고 묵묵히 일하는 모습에 하물며 안기고 싶다는 생각을 했다며. 스스로 감정적이라고 생각하는 나와 다르게 생각하고 있어 신기했다.

다른 선배는 덧붙여 몽글몽글함 안에 작은 태엽이 빠르게 움직이고 있다고 표현했다. 몽글몽글함이 안팎의 완충재로 사용하고 있는 것 같다며. 이건 제법 나다워서 흥미로웠다.

서른의 나는 부서지는 파도들에 잠겨 허덕일 수도
몰아치는 파도에도 균형을 맞추며 파도를 탈 수도 있다.

어떤 모양의 파도를 타게 될지는 알 수 없지만

어제도 오늘도 내일도
나는 매일 다른 파도를 탄다.

테오2

하루하루 물음표가 가득하다. 분명 하루를 살아냈으니 하나 정도는 마침표가 찍혀도 될 텐데. 나의 작은 기대가 우스운 듯 점 하나 찍는 것이 꽤나 쉽지 않다.

스물일곱이 되던 해에는 한 살이 늘어가는 것에 처음으로 두려움을 느꼈었다. 0에서 9까지의 수 중 7이라는 숫자는 어느덧 마무리에 가까워진다는 것을 의미했고, 마무리를 향해 달려간다는 것은 무언가를 일궈내야만 한다는 무거움으로 다가왔었다. 이진법으로 나이를 세지 않는 것에 감사함을 느끼기도 하는 지금. 과연 가득 채워진 9가 0으로 나아가는 그 순간에 나는 무엇을 채우고, 무엇을 내려두며 나의 20대의 마침표를 찍어낼 수 있을까?

다시금 물음표들을 마침표로 바꾸기 위해 갈고리를 든다. 괭이질로 아홉의 해를 개간하다 보면 괭이도 제 몫을 해낼 수 있겠지?

테오3
: 물음표의 대상

삶의 물음표가 향하는 대상이 변한 것 같다.

20대 초중반의 나는 내가 선택할 수 없었던 환경이라든지 사회적 인식과 같이 나를 둘러싼 세상에 대해 짙고 큰 물음표를 많이 던졌던 것 같다.

어른이 될수록 물음표의 대상은 외부가 아닌 내부로 향하여 자신에 대한 사소하고 자잘한 물음표로 쪼개진다.

왜 싫어하던 가지가 이상하게 맛있을까?
왜 별로라 느꼈던 오렌지색이 끌리지?
왜 지금 우울할까?
이유가 없다고 여기던 나의 우울에서 집요할 정도로 물음표를 던지게 되고 타협하기 힘들던 부분에 타협점을 찾고 이해를 거부하던 것들을 이해하기 시작한다.

스물아홉, 한결 유연해졌으면서도 예리해진 물음표들
과연 서른에는 어떤 물음표들을 안고 살아가게 될까.

테오4

나에게 지난 10년은 어떠하였나 되짚어 보자면
나의 20대는 노다지이다. 라고 감히 호언장담하였다.
10대 시절보다 꿈도 커지고 목적성도 분명했으며,
일구어낼 수 있는 가능성도 풍부할 거라 기대했다.
19살의 내가 거는 기대는 어느 무엇보다 희망차고 무한한 긍정의 에너지가 가득했다.

10년의 종착일이 얼마 남지 않은 이 시점에서 돌이켜보면
나라는 존재가 과연 비옥한 땅이었는지 의구심이 들지만
불모지만 아닐 거라며 막연하게 허허벌판을 바라보는
게으른 베짱이 농부가 지주였던 게 가장 큰 원인이 아니었나 생각도 든다.

남의 텃밭과 비교해보면 한없이 초라해지지만
보이는 게 다가 아니라고, 막말로 흙 밑에 거대한 고구마 묻혀있기를 바라며.
다음 해에는 여태 묵은 세월의 땀과 눈물을 양분 삼아 좋은 수확의 기쁨을 맛보게 해주겠다.

제 2 장

준비

테오1
: 미리

겨울이 다 가기 전에 크리스마스트리를 정리하는 사람
여행 가기 전 모든 예약을 하고 가는 사람
지하철 개찰구 전에 교통카드를 미리 꺼내 놓는 사람
가족, 친구 생일을 미리 준비하는 사람

소풍의 설렘보다는 소풍 가방을 챙기기 귀찮아 금방 침대에 누워버리던 어린 시절의 나는 아직 그대로다.

[미리]
어떤 일이 생기기 전에 준비하는

일이 생겨도 어떻게든 되겠지라는 태평함과 지금 당장 움직일 에너지가 없다는 두 가지 이유가 혼합되어 미리 하지 못하고 있다.

평소에 조금씩 모아둔 에너지를 특별한 날에 몰아서 쓰는 나의 삶의 방식. 이 삶의 방식은 언제까지 사용하게 될까? 하루살이처럼 당장에 주어진 하루만을 보고 사는 것보다 더 여유롭게 미래를 위해 준비할 수 있는 내가 되고 싶다.

테오2

나는 음악을 좋아한다. 감정과 상황에 맞춰 노래를 찾아 듣기도 하고, 노래에 내가 맞춰지기도 한다. 무언가를 시작하기 위한 나의 준비는 적절한 플레이리스트를 찾는 것부터이다. 음악을 들으며 등교를 하다 플레이리스트에 담겨있던 '김동률의 출발'을 들으면 방향을 틀어 덕수궁에 가곤 했고, 생각 없이 집중해야 할 때는 Sake L을 찾아가거나 2000년대, 2010년대 아이돌 음악을 찾아 틀고 나서야 시작을 할 수 있었다. 떼기 싫고 뗄 여력도 없는 요즘에는 음악을 자주 듣지 않는다. 습관적으로 이어폰을 귀에 꽂고 나선 길, 도착지에 도착해서야 내가 음악을 틀지 않았다는 사실을 깨닫곤 한다. 무언가를 시작한다는 것은 심신의 에너지를 꽤나 소모해야 하기에 무의식적으로 회피하고 있는 것일지도 모르겠다. 무엇을 하든 준비가 되어있지 않은 듯한 기분. 어떤 땔감을 찾아야 내디딜 수 있을까.

귓가에 노래가 흘러나오고, 불씨가 피어나듯 따스한 에너지가 피어난다. 한 걸음을 내디딜 용기가 채워지나 보다.

♪

사랑해 알고 있지
아직은 이런 밤에는 쌀쌀하지만
이제 곧 봄이야 봐 꽃들이
피어나고 있어

사랑해 알고 있지

이제 곧 활짝 필 거야
개나리 목련
너무 밝아서 문득 괜히 눈물이
나기도 할 거야

가을방학, 에피톤 프로젝트 - 아이보리 中

테오3

: J형 인간

“혹시 MBTI 유형이 뭐세요?”

근 몇 년 전부터 열풍이 불고 있는 이 흥미로운 유사 과학에 나도 몰입하고 있는 사람 중 하나 인지라 처음 만난 사람들과의 대화 주제에서 거의 빼 먹지 않고 등장한다.

난 매번 높은 확률로 INFJ가 나온다. 그런데 이 네 가지 알파벳 중 특히 나 자신을 괴롭히는 것이 있는데 바로 마지막 “J”.

난 J가 가진 단점이 극명히 드러나는 인간이다. 계획이 틀어지면 다소 신경이 날카로워지며, 바라던 결과물이 나오지 않으면 실망감과 자책으로 얼룩진 긴 밤을 보낸다.
나 자신의 부족함이 드러나는 것이 두려워 완벽한 준비에 집착하게 되었고 준비에 집착하면 실행력은 약해진다. 우습게도 결국 아무것도 시작하지 못하는 내 모습을 발견하면 또다시 자기혐오의 굴레에 빠진다.

이런 꽉 막힌 “J”인 나를 조금은 바꿔준 사건이 있다.
2015년 지금의 테오들도 포함하여 같은 학과 친구 몇 명과 함께 초등학교 돌봄교실 봉사활동을 한 적이 있다. 아이들이 대부분 저학년이다 보니 수업이 준비대로 잘 풀리지 않는 경우가 잦았지만, 그날은 유독 잘 안 풀리는 날이었다. 교육부에서 주관한 봉사활동이었기에 활동 일지 보고가 중요했었고, 표정은 걱정으로 점점 굳어갔는데 이를 발견한 테오2가 불쑥 말했다.

“뭐가 문제야? 그냥 이렇게 하면 되지 않을까?”

어라, 그래도 되나?
그래도 됐다.

혼자 심각해 있던 것이 무안할 정도였다.
마치 내 발밑의 수심이 깊어 허우적대고 있었는데 친구가 “너 거기서 뭐해?”하자 얕은 물가임을 알아채고 머쓱하게 일어난 기분.

테오2는 J의 반대인 P다. 난 주변에 있는 P형 사람들을 통해 불확실에 불안해하지 않는 방법을 알게 모르게 배워갔던 것 같다. 돌이켜보면 길은 항상 있었다.

살면서 만들어지고 무너지기를 반복할 무수한 준비와 계획들이 무기력이란 퍼런 멍 자국을 만들지 않도록, 내 안에 몇 %는 차지하고 있을 P와 J를 희석한다.
달고나에서 내가 만들고자 한 것은 하트였지만 세모가 나와도 맛은 똑같이 달콤하다는 걸 이제는 아니까.

테오4

29살의 어느 봄,
여가시간을 알차게 보내고자 염두에 둔 수영강습을 다니기 시작했다.

50분짜리의 단출한 수업이지만
무려 5분이란 시간을 투자하여 준비운동을 하게 된다.
굳이 해야 하나 싶다가도, 대충한 날과 힘껏 성의있게 풀어낸 날의 몸은
그 하루 수업의 질을 좌지우지하는 대단한 힘을 가지고 있다.

화려하지 않더라도 초석을 다져놓는다는 것이,
기본적인 자세이자 마음가짐을 다잡을 수 있는 시작이란 걸 깨달았다.
결과에 우선을 두는 것보다도 더 중요한, 솔직하고 올바름의 표본.
덕분에 정신마저 운동되며 건강해지고 있는 느낌이었다.

가방

제3장

테오1
: 모 아니면 도

이러면 어떡하지 저러면 어떡하지
혹시 모르니깐

없으면 없는 대로 있으면 있는 대로
어떻게든 되겠지

서른을 준비하는 내 가방엔 혹시 모르니깐 챙기는 것과 어떻게든 되겠지라는 마음이 들어있다.

테오2
: WIMB.

What's in My Bag.
여러 인플루언서들과 연예인들의 가방에 무엇이 들어있는지 궁금해하는 이들이 많다. 나는 아직 누군가의 가방에 무엇이 들었는지 궁금해 본 적이 없어서인지 어떠한 마음으로 그들의 가방 속이 궁금한 것인지 머리로 이해해보려 해보았다. 그들을 손민수 하려는 마음일까. 손민수는 결코 홍설이 될 순 없다. 이렇게 생각하다 보니 그들의 진짜 가방엔 무엇이 담겨있을까 궁금해지기는 한다. 가방은 생각보다 소유자의 많은 부분을 보여주기에.
9년이라는 시간을 지나오며 나의 데일리 백에는 작지 않은 변화가 있었으나 한결같은 점 또한 존재하고 있다. 사이즈가 크다는 것. 가방 안에 담고자 하는 것이 얼마나 많은지 항상 집을 나온 사람처럼 짊어지고 다닌다. 많은 욕심과는 달리 정돈에는 달란트가 없어서 뒤죽박죽 얽혀있는 나의 가방 속. 어쩜 이리 한결같은지. 요즘은 신체의 일부처럼 항상 메고 있는 미니 백과 커다란 에코백을 들고 다닌다. 보따리 같은 가방 외에 하나가 더 늘었다. 굳이굳이 챙겨간 에코백 안의 물건들은 꺼내어지지 못한 채 다시 집으로 돌아가는 일도 허다하다. 두고 오지도 버리지 못하고 가지고만 있다. 이마저도 나를 닮았다. 정리되지 않은 채 무겁기만 한 커다란 에코백.
미처 채우지 못하고 미뤄진 지난달의 일지와 3색 볼펜 한 자루. 회기 기록을 위한 파일 하나. 립스틱 두세 개와 립밤, 구겨진 영수증들. 노트북과 USB 그리고 함께 뒤엉킨 충전기까지.

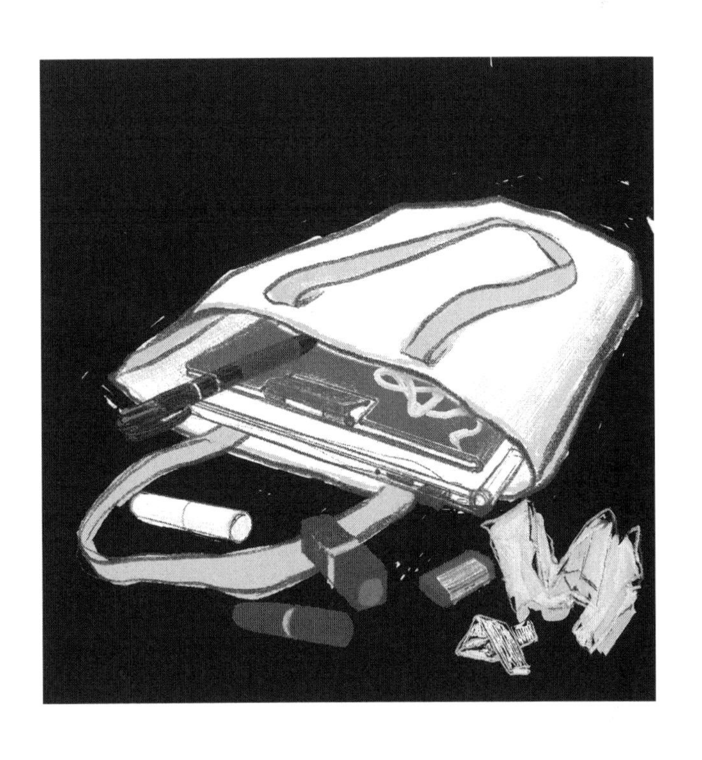

테오3

: 맥시멀리스트와 불안

불안을 먹고 가방 속 물건들은 증식해 간다.

나를 거쳐 간 가지각색 가방들은 색깔도 모양도 소재도 다 달랐지만 한 가지 공통점이 있다.
바로 크기.

일명 보부상 가방이라고 불리는 큰 가방을 좋아한다. 그러나 크기만큼 만만치 않은 무게에 매일 같이 어깨와 목은 피로하고 출퇴근길마다 이리저리 치이는 것에 지쳐 작은 가방으로 바꾸려는 시도도 많이 했다. 하지만 이내 소화 해내지 못한 소지품들이 비죽거리기 시작할 때 다시 보부상 가방으로 회귀하게 된다.

이렇다 보니 길에서 마주치는 여성들의 작고 앙증맞은 가방들을 보고 있으면 '저 쪼그만 가방에 도대체 뭘 넣고 다니는 걸까?' 싶은 의문이 들어버린다. 나도 과연 저런 가방을 들고 다닐 수 있을까. 가방을 패션보다는 기능에 목적을 두고 들고 다니는 나에게 꽤 난제이다.

우선 현재 가방에 무엇이 있는지 살펴보자.
1. 책 한 권 그리고 2. 노트
그런데 그 노트에 아무 펜이나 쓰고 싶지 않다.
어릴 때부터 문구 욕심이 꽤 있는 터라 그날 기분과 써야 할

글의 성질에 따라 다른 펜을 쓰고 싶어 여러 애착 필기구가 들어간 3. 필통을 들고 다닌다.
귓구멍이 작아 커널형 이어폰이 불편한 나를 생각해 남자친구가 선물 해준 4. 헤드폰도 있다.
사실 헤드폰을 못 챙긴 날을 대비하여 일반 5. 블루투스 이어폰도 들어있다.
이제 파우치. 그 안에는 6. 기름종이 7. 페이스 파우더 8. 머리빗 9. 일회용 안경 클리너 서너 개, 혹시 아플 때를 대비한 10. 비상약 케이스, 11. 쿠션 파운데이션, 12. 립스틱, 13. 브로우 펜슬 정도가 들어 있다.

가방 안쪽 주머니를 보자. 가장 손이 많이 가는 물건들이 들어 있다. 14. 휴대폰 15. 지갑 16. 담배. 연애를 시작한 이후에는 잘 안 들고 다니던 17. 손거울도 챙겨 다닌다.

가방 바깥쪽 주머니를 보자. 18. 보조 배터리 19. 물티슈 정도가 자리를 차지하고 있다. 그리고 계절이 쌀쌀해지기 시작하면 가방 어딘가에 20. 핸드크림과 21. 립밤이 추가 된다.

와 많긴 많다. 어지러이 가방이 토해낸 물건들의 정체를 확인하고 잠시 생각에 잠긴다.

'다 필요한 것들인데…?'
이게 더 소름이다.

보부상 졸업은 아직 한참 남은 듯 보인다.

테오4

여러 군데를 오가면서 씻겨주지도 수선 봐주지도 못한 내 가방에는
주인의 대충대충이 고스란히 드러나는 세월이 담겨있다.

선끼리 꼬여있는 충전기 케이블 무리
(여러 사람과의 관계에서 쓰임에 따라 역할을 달리하는)
가방 앞면을 무겁게 차지하고 있는 태블릿 패드 하나
(진중한? 별거 아닌데 괜히 무게 잡고 있는 고민 무더기)
안경케이스 안 살짝 뿌연 8년 차 안경 하나
(이중인격)
얼마 없는 데일리 화장품을 넣어둔 파우치
(20대 때의 유일한 생기발랄!)
핸드폰, 이어폰, 지갑, etc.
(객관성, 보편적)

새단장해야지, 더 좋은걸로, 더 값이 되는걸로 들고 다녀야지 하면서도
나 자신을 쉽게 바꿀 수 없는 것처럼.
내 부캐릭터 가방 친구도 몇 년을 동고동락하고 있다.
비록 겉이 낡고 헤져 볼품없다 하더라도
나에게 있어 익숙하고 편안한 존재인 것처럼.
겉으로 까칠하고 말수가 없는 지금의 내 모습을,
없어선 안 될, 편해하고 애착해주는 사람들이 있었으면 한다.

적

제 4 장

테오1
: 건강 레시피

학생일 땐 나와 맞지 않는 사람, 이해되지 않는 사람과의 관계는 늘 외면하거나 무시했다.

혹은 존중했다.

당신은 그런 사람이군요.
나는 그렇지 못하니 당신과의 접촉을 최소화할게요.

암묵적인 약속처럼 그냥 그렇게

하지만 사회는 피할 수 없다는 거대한 조건이 붙어 마음을 어지럽힌다.

자극적인 음식에 질린 그대에게 바치는 레시피
소화가 잘될 수 있길 기도할게요.

[담백한 치아바타 레시피]

· 불필요한 감정과 말들은 채에 거른다
· 마음을 요리조리 확인하며 제법 힘 있게 마음을 반죽한다
· 어딘가에 자리 잡혀 있는 부정적인 감정이 빠져나올 수 있게 혼자만의 시간을 준다
· 반죽이 회복할 수 있는 충분한 시간이 지났다면 생기가 돌고 반죽이 부풀었는지 확인해 준다.
· 상태가 좋아진 반죽에는 좋아하는 토핑을 가득 채워준다.
· 따뜻하게 데워진 오븐에 넣어 마지막 스트레스까지 날려 뽀송하게 만든다.
· 노릇하게 잘 구워졌다면 잠깐 상기된 열을 식히고 예쁜 접시에 플레이팅 한다.

Bon appetit!

테오2

찬찬히 돌아보니 지금의 나에겐 적이 참 많다 싶다. 어렸을 때는 요동치는 마음을 인지할 새 없이 꺼내느라, 조금 자라났을 때는 옳고 그름 속에 나를 가두고 다른 이들을 정죄하느라 적이 늘어갔다. 그때의 나는 다름은 틀린 것이라 여겨야만 호흡을 할 수 있었을지도 모르겠다.

나도 예수님처럼 풍랑을 잠재울 수 있었다면 달랐을까. 하루하루 파도가 거세진다.

멈춰 돌아보는 주변은 물로 가득차 고요하고, 나는 잠겨간다. 물속에서 호흡하는 능력은 내겐 없는데...

돌아보기엔 이미 조금 늦었으려나.
생각보다 적은 많지 않았을지도 모르겠다.

테오3

: 소독 과정

비참하다.

평소 쓰임새 때문인지 좀 과한 표현 같아 보이지만 "몹시 불행한 상태에 있어 슬프고 가슴 아프다."란 뜻으로 일상에서도 언제든 느낄 수 있는 감정이다.

이 감정의 근원이 어디인지 아직 파헤쳐 보지 않았다.
왜냐면 귀찮기 때문이다.
왜 귀찮을까.
괴로워서다.
감정을 파헤치는 일은 항상 고되고 쓰라리다.

사람에 따라 마음을 소독하는 방법은 다양할 것이다. 누군가는 토해내듯 휘갈겨 쓴 일기가 될 수도 있고 누군가는 폐가 차가워질 정도로 뛰는 한 밤의 달리기가 될 수도 있겠다. 나의 경우 전자에 속한 사람이라 종이 위에 펼쳐진 활자들을 통해 울렁울렁 소독의 과정을 거친다.

귀찮음은 결국 두려움에 대한 변명이고 왜 두렵고 하니 그 안에 "무엇"이 나올지 모르기 때문이다.
진실 속 내가 노려보던 적이 예상하던 적(敵)일까 봐.

언젠가 마주해야 했던 내 안의 검은 실오라기들을 펜으로 조심히 건져 올려 흰 종이 위에 놓아본다.
신랄한 자기 성찰 뒤 펜을 내려놓는다.

역시 나의 적은 나였구나.

테오4

깨끗한 공간이 만들어지려면 어지르지 않으면 된다지만,
어지를 잡동사니가 없어야 하겠지만, 아쉽게도 습관이 안 된 나에겐 너무 많다.

나의 감정은 굉장히 유동적이고 날이 서 있었다.
어제는 웃고 마주하던 사람들이 오늘은 아니꼽게 보이고,
고요한 물웅덩이처럼 잔잔하게 유지하던 내 심기에 막돼먹은 짱돌을 던져댄다.
이 파동이 막 성인식을 이뤄낸, 사회인이란 없던 책임감이 갑자기 생겨나 버벅대던 내게는 너무 아프고 상처가 커졌고,
치워내면 회복되지만, 돌팔매질을 당해 어질러진 현장을 정리하는 그 과정이 많이 버겁고 외로웠다.
청소가 적성에 맞지 않은 청소부였던 나는 그러했었다.
그럴 때마다 비관하고 결론지었다.
그들은 불청객이며 받아들이지 말자며, 내가 원하는 관객만 입장시키자고.
최소한의 청소만 하겠다고 하며 조금이라도 호수를 더럽힐 존재들에겐 잡동사니란 수식어를 달았던 듯하다.

문제는 주변에 내가 잡동사니라 생각하는 이들이 한둘이 아니었다.
결국 호수에 아무도 오지 않은 걸 깨달았을 때
공허해진 청소부로서 나는 입장바꿔 생각해보기를 시작한다.
내가 단정 지었던 것처럼 나를 잡동사니라고 생각하는 이들도 많을까?

어쩌면 나도 그들에게
주변을 배회하며 숨 막히게 하던 먼지는 아니었을까?

제5장

공감

테오1
: 쉽고 어려운

공감은 쉽다.

경험하지 않아도 상대의 입장에서 헤아려 보는 것은 쉽다.

어떻게? 본능이야

라고 답할 수 있을 만큼 나에겐 너무 당연한 감정이다.

하지만 상대를 향한 인류애를 잃었을 때

공감은 어렵다.

테오2

5분이 채 되지 않는 뮤직비디오를 보면서, 30초짜리 광고영상을 보면서 눈물짓는 나. 운전하는 차 안에서 노래를 듣다 홀로 울기까지 한다. 그런 나에게 공감이란 식은 죽 먹기.

그러나 모순되게도 함께 나누는 이야기를 자꾸 흘리게 된다. 칠칠치 못하게. 이해하지 못한, 하고 싶지 않은 이야기를 후루룩 넘겨버리는 기술은 또 거뜬하다.

입천장이 까지지 않고는 삼켜낼 수 없는, 그럼에도 참지 못하고 먹게 되는 팔팔 끓는 순댓국 같은 스물아홉의 공감.

테오3

: 가짜 공감

무심코 본 쇼츠 영상 하나에 가슴 한쪽에 작은 유리 조각이 박힌 듯 아리다. 살아낸 시간의 축적물이 쌓여갈수록 눈물샘은 예상치 못한 곳에서 어이없게 스르륵 열리곤 한다.

찰나의 순간 상대에게 나의 모습이 투영되고 의지와 상관없이 빛의 속도로 전이 된다. 어서 뱉어내라고, 쏟아버리라고 부추기는 감정에 눈물샘이 또다시 범람하려 들 때 문득 의심이 스친다.

'지금 이건 진짜 공감일까?'

나와 전혀 다른 존재인데 어찌 타인의 사고와 감정에 동조하며 같이 울고, 웃고, 분노할 수 있는 걸까.
한 사회에 섞여 살아가다 보면 자연히 공통된 경험들이 생겨나기 때문일까. 아니면 그저 같은 인간이라 그런 걸까.

지금 나를 술렁이게 만든 이 감정의 정체는 순수한 공감일까 아니면 내 멋대로 표백을 거친 가짜 공감일까.
당신도 내가 아니고 나도 당신이 아니다.
그래서일까 당신의 감정을 감히 "공감해"라며 단정 짓는 것이 인위적이라 느껴질 때 나도 모르게 말을 아낀다.

테오4

대학 시절 처음 해본 MBTI 유형 검사,
당시엔 많이 알려지지 않아 남들에게 나는 이런 유형이에요 라고 소개하기 어려웠던 시절.
그리고 몇 년이 지나 여느 누구나 소개할 때 빠지지 않는 게 다반사가 된 요즘.
흘러간 시간만큼 변했는지 다시 해본 유형 검사에서 나는 세 번째 유형이 변해있었다.
공감성 수치
T에서 F로. (F에 가까울수록 감성과 타인에 대한 공감성이 크다고 한다.)

사실 큰 차이는 없다.
백분율 수치로 볼 때 T가 49%, F가 51%로 그날 내가 1% 더 감성적이었던 거다.
여러 번의 유형 테스트가 번거롭던 나는 이 소량의 감성이 앞섰던 날의 결과 하나로 몇 년의 자기소개를 이렇게 했다.
그리고 그런 프레임이 씌워진 나를 보는 다른 사람들의 시선도 마찬가지였고, 나름의 강박에 갇힌 것 같다.
좀 더 공감해줘야 해. 위로가 되어야 해. 행복을 빌어야 해. 하고.

누군가들에게 마음의 짐을 덜어주고자 귀를 기울였고,
받아낸 부담에 눌려 흘려낸 눈물만큼 감성을 비웠다.
1%의 얕은 감수성이 굴려버린 스노우볼 공감성.
힘들게 꾸역꾸역 채워 넣은 F의 수치를 소모해왔다.

어느 순간 거울 속 무표정이던 내 모습을 보았더니
지금은 솔직히 무서워서 MBTI 검사를 시도해보지 못하겠다.
바닥난 공감성이 등을 보이는 것처럼
주변도 내게 뒤돌아 지나가진 않을까 하고.

그릇

제6장

테오1
:짙은 남색

깊이를 알 수 없을 만큼 깊고 넓은 사람이 되고 싶다.
마음이 넓은 사람에게 하늘과 같은 마음을 가졌구나, 바다 같은 마음이구나 하는지 알겠다.

밤하늘의 별을 보는 습관에 고개를 들어 하늘을 바라보면 남색인지, 검정인지 모를 정도의 짙음을 본다. 색의 끝을 눈으로 따라가다 끝을 볼 수 없음을 느끼고 문득 저렇게 가늠할 수없이 깊은 사람이 되고 싶다는 생각을 한다.

수많은 별을 담고 있는 하늘을 바라보며 경의로움을 느낀다.
얼마나 넓고 깊으면 저 다양하고 다르게 빛나는 수많은 별을 담고 있을까?

감정이 눈에 고여
하늘을 바라보는 내 눈에도 별이 생긴다.

매일 밤하늘을 바라보며, 당신은 마음이 참 넓군요. 나도 당신처럼 되고 싶어요라며 나만의 존경의 눈인사를 보낸다.

테오2

나는 단단해 보이지만 실로는 얇은 흙벽으로 이루어진, 속이 텅 비어 어두운 구덩이였다. 캄캄한 탓에 무엇이 있는지도, 어느 정도의 크기인지도, 비어진 속을 어떻게 채워야 할지도 모르는. 불행 중 다행히도 나에겐 아무 일도 아닌 척 흙벽을 쌓아 올릴 에너지를 가지고 있었고 열심히 벽을 쌓아 올렸다. 모나고도 성실한 이 작업은 텅 빈 구덩이를 견고히 했다.

축축하고 어두운 흙벽 안에서 한참을 살아냈다. 어두운 나머지 미처 벽을 다 메꾸지 못해 구멍이 나버린 걸까. 댐에 난 구멍 하나를 손가락으로 막아내듯 흙벽을 보수하고 또 고쳐내기를 수 날, 수 일. 나의 흙벽은 먼지가 되어 흩어져 나렸다. 흩어지길 무섭게 덮쳐오는 해일 같은 파도. 무엇이 문제였을까? 그때의 나는 그저. 나의 구멍을 막아줄 두꺼비가, 해일 같은 파도를 막아줄 방파제가 없음이 원망스러울 뿐이었다. 부서지는 파도처럼 물거품이 되어 잡히지 않는 것들이지만 나는 할 수 있는 거라곤 그 속에서 허우적댈 수밖에. 흩어져 나린 먼지들 위로 파도는 밀려오고 흩어짐을 반복했다. 가만히 누워 파도의 흩어짐을 하염없이 느끼다 문득 낯선 감촉이 느껴졌다. 파도가 미처 챙겨가지 못한 모래알들. 몸을 일으켜 눈을 뜨니 나는 부서진 흙벽과 남겨진 모래알들 위에 있었다.

'아, 나의 작고 소중한 모래사장.'

한참을 앉아 나의 잔해들을 바라도 보고 만져도 보았다. 그러는 중에도 파도는 밀려오고 나의 잔해들은 쓸려 내렸다.

나의 잔해들은 부서져 무겁게 가라앉았다.

 무겁게 젖어 든 나의 잔해들을 토닥이며 저 멀리 수평선을 바라보다 문득 무언가를 될 수 있을 것만 같은 생각이 들었다. 파도가 지나간 자리에는 보다 단단해진 잔해들이 자리할 것임을. 벽을 쌓아 올리던 모난 성실함이 이들을 뭉쳐낼 수 있을 것이라고.

물기를 머금어 반짝이던 잔해들은
작은 두 손의 토닥임으로 형태를 지닐 수 있을 것임을.

테오3

: 빈티지와 상상력

구경만으로 즐거운 것이 있다면 여러 가지가 있겠지만, 그중 하나가 그릇이다.

고등학생 때부터 그릇에 관심이 많았다. 시장 안 잡화점이나 아울렛, 대형마트 식기류 코너는 물론 사장님의 물건 취향을 엿볼 수 있는 셀렉샵, 소품점까지 장소에 따라 보는 재미가 쏠쏠하다. 그중에서도 가장 좋아하는 것은 빈티지 그릇.

누군가의 집에서 누군가에 의해 어떠한 쓰임을 다했던 컵과 그릇들을 보고 있노라면 상상의 나래를 펼치며 왠지 모를 애틋함에 휩싸인다.
1980년대 미국의 어느 한 가정집에서 아이와 남편을 위해 정성스레 만든 음식을 담던 어머니의 그릇이었을까.
1990년대 일본 도쿄에서 고단한 하루를 보내고 어둑한 방안 천천히 커피를 내려 마시던 어느 회사원의 찻잔이었을까.

빈티지에는 낡음에서 오는 온기가 있다. 어떤 장소와 사람을 거쳐 이곳까지 흘러오게 된 걸까. 그리고 어쩌다 많고 많은 손님 중 내 눈에 띄게 된 걸까.

운명이다!
이게 운명이 아니고 뭘까.

사람도 80억 인구 중 나를 알아봐 주는 사람과 인연을 이어 간다. 하물며 물건도 마찬가지겠지. 새로운 주인을 만나기까지 이 그릇에 담긴 시간을 헤아려 본다.

빈티지 그릇을 산 날은 왠지 물고기나 고양이를 분양해 집에 들어가는 기분이 든다.

이제 나랑 같이 가자, 새로운 집에.

테오4

처음 만들 때부터 신경을 많이 썼어야 했는데.
한눈을 판 사이에 빚고 있던 내 그릇이 굳어져 완성되었다.
아직 모양도 다듬지 못했고 충분한 온도로 가열하지 않았는데.
충분한 손길을 주지 못한 채 시간이 그만큼 흘러버렸다.

우려처럼 내 그릇은 위태로웠다.
단단하지 못해 금이 가고 드문드문 이가 나갔다.
물을 채 담기도 전에 겉면에 방울이 생기며 흘러나온다.
이건 담겨있던 물이 새는 거야, 아니면 그릇이 흘리는 땀이야 눈물이야?
알짜배기 그릇을 만들지 못해 이내 마음이 싱숭한 장인.
그릇이란 게, 무언갈 담아내고 유지를 해야지 말이야.
그치만 깨뜨리진 못하고 응고제로 임시 처방이라도 한다.
보수를 해주며 그릇에게 얘기한다. 본인에게 하는 위로인 양.
그래도 빈 그릇보단 낫잖니.

제7장

!

테오1
: 꿈

하고 싶은 게 끊임없이 많다.

꽃을 다루는 일을 하고 싶고, 커피도 배우고 싶고, 브런치 가게도 하고 싶고, 펜션도 운영하고 싶고, 아이들도 가르치고 싶고, 외국에서 공부도 하고 싶고, 다른 언어도 배우고 싶고, 악기도 배우고 싶고, 유튜브도 하고 싶다.

매일이 나에겐 열정의 [!]

이렇게 꿈이 많은 나에게 꿈이 없을 때를 느끼게 되었을 땐

절망의 [!]

그 순간이 오는 걸 생각하면 벌써 슬프다.

서른이 주는 10년이란 시간을 수많은 [!]를 [.]로 만들 수 있는 기회로 잘 쓸 수 있길 바란다.

테오2

느낌표란, 문장 각 부분 사이에 표시하는 보조수단으로 쓰이는 부호 중 하나로 강조를 나타내고자 하는 대상의 뒤에 놓인다. '감탄하다'는 의미의 라틴어 'io'에서 유래가 되었으며 보통보다 큰 소리로 발음되는 문장의 마지막에 온점 대신 놓이곤 한다.

나의 느낌표에는 어떠한 것을 앞세워 두어야 할까? 어떠한 것을 앞세울지 고민하기를 한참. 느낌표는 점차 희미해지고 줄임표가 자리를 잡는다. 할 말을 줄이고 싶거나, 말이 없음을 나타내고 싶을 때, 일부를 생략하고 싶을 때, 머뭇거림을 표현하고 싶을 때 줄임표가 나의 등 뒤를 감싸 안는다. 줄임표의 안락함은 나에게도 전염되어 나를 희미하게 한다.

분명함을 가진 내가 되고 싶지만, 하루하루 늘어가는 나의 줄임표 위에 굳게 서는 내가 될 수 있기를.

나를 분명히 할 수 있는 내가 되기를.

테오3

: 2019년 4월 26일

문득 마주친 아름다움을 발견하고
그에 오래도록 감동하며 나이 들고 싶다.

테오4

시간이 생기고 지갑에 여유가 생기면서
편안한 환경에 너무너무 익숙해지게 되어
나는 요즘 그 잠깐의 힘듦을 견디는 것도, 체감하려는 것도 원치 않는다.
변하는 환경이란 게 나에겐 극심한 바이러스였다.
안일하게 방화벽을 미리 구축해두지 못했다.

나는 이 사실을 깨닫고 눈물을 흘려버렸다.
조그만 자극에도 나약해지고 겁쟁이가 된 내 모습을 견뎌낼 수가 없었고,
이런 나로 인해 괴로워하는 지금 그 순간의 감정에도 크게 흔들렸다.

오늘은 내가 얼마나 도전을 하고 견디어냈는지 하루를 되짚어봤다.
어느 날은 입이 찢어지도록 웃었고, 다른 날은 소리가 새어 나올까 입을 막고 울었다.
나에겐 사색이란 시간도 하나의 시도였다.
안주해있느라 정차해있던 나라는 사람의 길이 어디였는지 깨닫게 해주는.

변화를 받아들이는 데에 두려워하지 않도록 도전하는 요즘이다.
몸을 움직이고 도전을 주저하지 않도록 작은 것부터 차근히.
오늘은 얼마나 견뎌내고 받아들였나. 조심스럽게

절제

제8장

테오1
: 말

욕을 잘 하지 않는다.
하지 않으려 노력한다.

욕은 누가 만들었는지, 욕은 정말 중독성이 강하다. 어쩌면 술과 담배보다 더 중독적이지 않을까. 한 번 배운 욕은 어쩌다 나오게 될 정도로 침투력이 강하다. 요즘은 욕이라고 구별하지 않는 '개'라는 단어도 쓰지 않으려 하지만 대체될 단어를 찾는 건 쉽지 않다. 내가 찾은 단어라곤 왕, 정말, 진짜일 뿐. 조금은 전투력이 낮아 보여 이 단어를 사용하는 나를 보며 가끔 이게 최선인가? 라는 생각을 하지만 굳이 부정적인 단어는 사용하고 싶지 않다. (조금은 하찮게 보여도 나름 노력의 증거이니 실제로 듣더라도 당황하지 않기)

욕이나 말은 쉽게 전염되기 때문에 주변이 한순간에 욕과 부정적인 말로 가득 찬다. 사용하는 사람을 보면 지적하거나 비난하진 않지만 나부터 그 단어를 덜 사용하고, 주변을 정화 시켜야겠다 싶다.

하나님의 자녀로 할 수 있는 작은 선행이다.

테오2

물줄기를 맞다 문득 나는 참 절제하지 못하는 사람이라는 생각이 들었다. 인간은 같은 실수를 반복한다는 밈을 몸소 실현하는 내가 달갑지 않은 아침.

내가 또 이렇게 마시나 봐라...

그렇게 또 얼마 후, 하고 싶지만 하고 싶지 않은 것. 해야 하는 것 앞에 자꾸 사족을 붙인다.

오늘만... 오늘이니까~

테오3
: 스위치

나는 다소 예민한 사람이라, 외부 자극으로부터 자신을 보호하기 위해 무던해지려고 노력을 많이 해왔던 것 같다.
이런 예민함은 사회생활에 그다지 도움 되지 않기에 무의식적으로 '감각 스위치'를 꺼두기 시작했다.

우중충한 표정들이 즐비한 출퇴근 길은 속이 텅 빈 사람처럼 다닌다. 귀에 이어폰을 꽂고 핸드폰도 안 하고 그저 허공을 바라본다. 이어폰에 흘러나오는 노래는 없다. 노이즈 캔슬링을 통해 만들어진 나만의 작은 진공 상태 안에서 유유자적 헤엄쳐 다닌다. 여러 사람과 섞여 일을 해야 하는 회사 안에서는 감각 스위치를 완전히 꺼두는 것은 불가능하여, 절전모드 정도로 해놓는다.

감각에 대한 스위치를 꺼두고 생활하다 보면 예기치 못한 오류가 발생하는데, 부정적이었던 일을 과도하게 잊어버린다는 것이다. 스스로 보호하기 위한 일종의 방어 기제인 건지 신기할 정도로 깨끗하게 기억이 삭제되는 경우가 종종 있다.

오히려 좋은 건가? 그건 아니다.

어쩌다 말이 나와 상대방과 다시 진위를 가리는 대화를 해야 하는 상황이 오면 그 시점이 제대로 상기되지 않는 것이다.
그저 검게 그을린 감정의 언저리만 느껴진다.

이렇다 보니 제대로 된 변론조차 할 수 없고, 나의 입장은 힘을 잃은 채 사건은 '별거 아니었던 일'로 종결된다. 그저 상처받았었다는 진실 정도만 확인한 채 보이지 않는 흉터 자국을 만지작거린다.

테오4

여태껏 잘해왔는지 의문이지만
확실한 건 현재의 자제력은 이전보다 못하단 점이다.

'아름답게 베푸는' 테오4 라는 내 소개 문구는 20대 단 한해도 빼먹지 않았다.
그 흔한 이름인데, 세상 모든 테오4들 중에 제일 헤픈 10년을 보내지 않았을까
감히 판단하고 있다.
이름 따라 운명이 정해지는 건가, 그래서 몇몇이 개명신청을 하는 건가?
남들에게 퍼주고, 그만큼 애쓴 나에게도 보상해주는 건 잊지 않았다.
잘 먹고, 잘 쓰고, 잘 자고 잘 쉬자. 힘든 건 다음에 하자.
나는 산타가 아닌데, 뭘 믿고 선물을 남발한 걸까?

시간 절약, 지출 축소, 욕구 조절
이 세 가지가 제일 되지 않으면서도 제일 활용할 범용성이 큰 게 20대가 아니었을까 생각이 드는데.
이 생각도 20대가 아니게 되니까 알아채는 거지만

30대의 나는 좀 더 개선된 의젓한 성인이 되었으면 한다.

제9장

사랑

테오1
: 주체적인 사람

누군가에게 어떠한 것을 바라기 전에 내가 먼저 그것을 가지고 있는지를 생각하다 보니, 쉽게 바라지 못하는 사람이 되어있었다.

나는 예쁜 말을 하는 사람이 좋아,
나는 예쁜 말을 하는 사람인가?

나는 배려하는 사람이 좋아,
나는 배려를 하나?

바라는 게 많을수록 나를 가꿔야 할 것들이 많아진다.

-

자신의 삶을 자신의 것으로 채워가는 사람이 좋다.

꿈이 많아 항상 더 나음을 찾아가고, 배우는 걸 좋아해 같이 즐거움을 공유하고 함께 성장할 수 있는, 현재에 머물러 있기보다는 매일 다른 나를 꿈꾸며 삶의 재미를 찾아갈 줄 아는 사람이 좋다. 서로가 건강한 자극이자 진심의 응원이 오가는 빛나는 관계. 그걸 바란다.

테오2

흘려버린 것만 같은 시간들이 나도 모르는 새 모래알처럼 쌓여 두터워진다. 나의 파편들은 차곡차곡 쌓여 높다란 언덕을 이룬다. 광활한 나의 언덕은 나의 등을 감싼다. 푹푹 빠지는 발에 넘어가기에도, 넘어오기에도 힘겨운 고요한 나의 언덕.

끊임없이 쌓아지는 작은 모래알들. 고요한 나의 언덕에 쌓여 있기를 한참. 나도 모르는 사이 나의 등 뒤로 바람을 타고 파도의 발자국이 새긴다. 묵직하게 젖어든 모래알들을 느낄 때가 되어서야 나는 등 뒤에서 나의 언덕을 감싸 안은 바다를 발견한다.

테오3

: 숙면을 빌어주는 것

한 없이 유약하게 만들다가도
한 없이 강인하게 만든다.

시리도록 혼자 있고 싶다가도
더울 정도로 같이 붙어 있고 싶다.

야속함과 불안함에 뒤돌아 누워있다가도
고단함이 매달려 있는 그대 눈꺼풀이 반달이 되면
말없이 숙면을 빌어준다.

꿈도 꾸지 않는 깊고 까만 잠을 잤으면.

무거운 짐이 있다면 그곳에 다 두고 오기를.
못 푼 매듭이 있다면 눈 떴을 때는 모두 풀려 있기를.

그저 그대가 평안했으면 좋겠다.

테오4

온전치 않은 감정에서 시작한 것인지.
여긴 굉장히 알 수 없는 기후에 머물러있는 공간 같아요.

그래서인지 사랑에 있어서 나는 조심해야 할 것 같은데.
호기심이 많았던 바다 잠수부에게 산소호흡기를 달아준 것이 옳았던 걸까요?
얕은 물에서 조개만 몇 점 캐가게 둬야 했었지 않았을까요.
괜히 깊은 심해의 어두운 면을 보게 했나 걱정했어요.
음… 내가 유난히 예민하고 두려워하던 날.
상처를 너무 많이 안겨주는 게 아닐까 생각을 하였을 때.
잠수부가 내심 걱정되었고 파도를 크게 일으킨 게 아닌가 어찔줄을 몰라했어요.

지금은 노력하고 있어요. 파도를 조절하기로.
호기심 대마왕 잠수부를 포용하기로, 사랑해보기로.
이 깊은 바다를 궁금해하고 탐험하려 하는 모습에
바다 주인이 마음이 지순해졌대요.

내일은 내가 표현과 애정이 풍부한
어여쁜 여름 해변이 돼 보이게 해달라고 기도할게요.

숫자

제 10 장

테오1
: 서른엔

단잠을 자고 난 후엔 언제나 개운하다. 기지개를 켜며 보니 팔에 빨갛게 물든 모기 자국은 지금의 계절을 알린다.

거울을 통해 보이는 제법 자리 잡힌 근육과 어둡게 그을린 피부. 어깨를 으쓱하게 만든다. 멋있다.

아침 날씨에 맞추어 노래를 선정한다. 흔들흔들 몸을 흔들며 가볍게 이불을 정리하고, 잠깐 앉아 오늘 할 일을 머릿속으로 정리해 본다.

작은 마당에서 취미로 키우는 야채들을 먹을 만큼 수확해 어제 시장에서 산 재료들과 함께 요리한다. 몸을 건강하게 가볍게 만들어주는 좋은 재료들이다. 맛있다.

빙그르르 탁. 얼음이 녹아가는 소리에 다 읽어가는 책을 덮고 감기려는 눈을 비비고 산책을 나간다. 동네 주인인 마냥 쪼리를 끌며 뒷짐을 지며 걸어 다니는 모습이 마트 창문에 비추어져 혼자 작게 웃어 본다. 웃기다.

흐드러지게 핀 들꽃들을 하나둘씩 뜯으며 집으로 돌아오니 거실에 꽂아 둘 만큼이 되었다. 자연이 주는 선물에 감사하며 찬장에서 꽃과 어울리는 유리잔을 꺼내 집에 온기를 더한다.

주기적으로 새로운 요리를 시도해 보는 요즘, 오늘은 카레다. 뚝딱뚝딱 재료를 썰고 냄비에 끓이니 어느새 완성이다. 혼자 먹더라도 정성스럽게 카레와 어울리는 접시와 반찬을 준비한다. 주먹밥도 괜찮겠다.

조용한 집이 시끄러워지는 순간. 좋아하는 영상을 틀고 얼굴에 웃음을 머금으며 한입 두입 먹는다. 맛있다. 그래도 중간중간 느껴지는 적막함은 아직 익숙하진 않다.

큰 창으로 보이는 선명한 별과 맑은 공기를 맡고 있으니 이곳에 왔다는 걸 새삼스레 체감한다. 쌍안경으로 별을 찾던 곳과는 달리 이곳은 달과 별을 눈으로 볼 수 있다. 예쁘다.

스피커를 챙기며 목욕할 준비를 한다. 기분 좋게 만들 향초도 한두 개씩 켜두고 들어간다.

긴 목욕을 마치고 바로 침대로 뛰어든다. 팡. 베개에 얼굴을 비비니 금방이라도 잠들 것 같다.

이곳의 밤은 깊다. 깊은 수면으로 이끌어주는 신기한 이곳. 스르륵 잠들며 속으로 말한다.

잘 왔다.

테오2

하나, 둘, 셋, 넷, 다섯, 여섯, 일곱, 여덟, 아홉, 열, 열하나, 열둘, 열셋, 열넷, 열다섯, 열여섯, 열일곱, 열여덟, 열아홉, 스물, 스물하나, 스물둘, 스물셋, 스물넷, 스물다섯, 스물여섯, 스물일곱, 스물여덟, 스물아홉

손가락과 발가락을 모두 더해도 헤아릴 수 없는 것을 가져버렸다. 하루 그리고 이틀, 사흘, 나흘이 지나가면 더 많은 숫자들이 날 헤아릴 테다.

테오3

: 수학 약체

난 숫자에 약하다.

숫자로 이루어져 있는 세계에서 유독 맥을 못 추는 수학 약체인 나는 특히 아래 세 가지에 약하다.

첫 번째 업무용 숫자
암산, 측정, 수치와 같은 생활 수학에도 약하지만 특히 업무용 숫자에 약한 것만큼 난감한 것이 없다. 엑셀이란 광활한 밭 속 네모 칸마다 빼곡히 심어진 숫자들을 보고 있노라면 나도 모르게 손발이 축축해진다.

두 번째 소비용 숫자
물건을 살 때 조금이라도 할인 청구 방식이 복잡하면 포기하거나 그냥 가격 적당하면 사는 편이다. 소비 한정 복세편살.

세 번째는 인간용 숫자
인간관계에서 득과 실을 잘 가려내지 못하는 편이라 나에게 독이 되는 줄도 모르고 관계를 잘라내지 못한 적이 많았다.
겉으로는 웃어버리고 어색한 침묵에 기억을 흘려보낸다.
'나 진짜 바보인가. 머리가 나쁘면 몸이 고생한다는데 셈이 약하면 정신이 고생하나?'

삶에 있어 필요한 최소한의 수학이 있고, 공식이 있다는 걸

나이가 들수록 통감한다.
스물아홉의 한 마리의 수학 약체는 그런 자신을 받아들이고 나름의 생존방식을 찾아간다.

업무용 숫자는 부족한 만큼 더 공부하고 물어보는 수밖에 없다. 부끄러움은 잠시 감을 잡은 순간부터는 내 것이 되니까.

소비용 숫자는 평소 합리적이고 꼼꼼하게 물건을 사는 다른 사람에게 물어보고 사면 된다. 나에게 없는 능력을 갖춘 사람이 주변에 있다면 그건 활용하라고 신이 옆에 붙여준 것일지도.

인간용 숫자는 관계에 대한 기준을 명확히 세우고 타협하지 않는 것으로 처방한다. 흔히들 말하는 3진 아웃 법칙 같은 것 말이다. 기준이 명확하지 않으면 결국 상처 입는 건 나였다. 어쩌면 나의 물러터짐이 상대방을 더 못된 사람으로 만들었을지도 모른다.

적자생존.
오늘도 수학 약체는 야금야금 살아가는 방법을 익힌다.

테오4

아홉의 나는 유약했으며,
열아홉의 나는 어리석었고,
스물아홉의 나는 둔탁하다.

서른아홉은 솔직한 심정으로 오지 않았으면 좋겠다.
제일 평등하지만 제일 잔인한 문자. 차가운 낱말.
가장 무한하지만 가장 짧다고 느끼는 문구.
앞으로 그 힘을 더 크게 느낄 거라니 더 두렵다.

그늘

제11장

테오1
: 순간 이동

구슬을 만지면 다른 세계로 이동하고, 몸에 에너지가 충전되는 판타지처럼 꽃을 만지면 모든 피로가 사라지고 현실에서 벗어나는 마법 같은 일이 벌어진다.

별다를 것 없는 회색의 삶이
나만의 드라마처럼 변한다.

꽃과 풀이 물을 머금었던 건
나에게 생기의 물을 주기 위해서가 아닐까

그대에게 마법을 걸어줄 구슬을 찾을 수 있길 바란다.

테오2

해가 중천에 뜰 시간.
짧고도 짙은 어둠이 드리우는 시간.

해가 뜨고 지는 아침과 저녁에만 살 수 있다면
나의 그늘은 얕고 길어질 수 있을까.

아쉬움에 대한 미련만큼이나
불편함에 대한 주저만큼이나
해가 땅을 비스듬히 비추는 그런 시간 속에 살고 싶은
나의 비스듬한 마음

테오3

: 렘브란트의 자화상

누구에게나 그늘은 있다.

그늘
1. [명사] 햇빛에 가려진 어두운 부분.
2. [명사] 의지할 만한 대상의 보호나 혜택.
3. [명사] 밖으로 드러나지 아니한 처지나 환경.

'그늘'이라는 단어를 처음 들었을 때 제일 먼저 연상되는 것은 3번이다.

그 시절의 나는 아직도 그늘에 서 있다.
아무에게도 들키고 싶지 않지만, 모두에게 실토하고 싶다.
그때의 기억을 흔드는 무언가가 눈에 걸리면 나도 모르게 마음에 그늘이 서린다. 찰나의 먼지 쌓인 추억 귀퉁이를 목격하고 나서는 이내 아무 일도 없었다는 듯 다시 현재로 돌아와 눈앞의 풍경을 바라본다.

그늘은 그늘인 채로 둬도 괜찮다.
그늘이 있기에 인생의 자화상은 다채로우리라,
렘브란트의 자화상처럼.

테오4

나무 한 그루가 열일곱의 나에겐 뭐가 그리 안락해 보였을까.
미술 시간 자유롭게 텀블러의 외관 디자인을 해보라는 수업에서
나는 그 당시의 나와 10년 후의 자유로운 나를 대조하여 나타내었다.
극적인 대조표현을 좋아하는 나는 십 대의 주변과 20대 미래의 내 주변을
각각 숨 막히던 썩은 도심과 꽃과 나비가 푸르게 만개하는 동산 정상으로 표현하였었는데,
그런 상반된 배경 속에서도 내 등을 기대어 지탱해주던 것이 나무라는 건 변함없는 사실이었다.
지금에 오기까지도 커다란 나무 그에게 왠지 모를 벅참을 느꼈다.
공간의 수호신. 조용하지만 무게 있는 지조.
그 모습에 매료되었나 보다. 나의 피에타.

이윽고 수년이 지나,
텀블러 속 도심에 갑갑했나?
지푸라기라도 잡고 싶던 마음이었는지 이끌려 찾아간 곳.
사람의 운명을 미심쩍지나마 찾아봐 준다는 사주 집에서 나는 듣는다.
나는 나무랜다. 대성할 나무. 숲이 되려는 나무.
이 작은 흙 한 줌 같은 내가 그의 뿌리에도 다가가지 못하는데?

개화라는 가능성, 그것에 나는 희망을 품어보기로 했다.
노력이라는 양분과 기대라는 햇살이 뒤받쳐줘야겠지마는,
부디 세상의 흙이 되는 때에는
절박할 적 적어 내려간 동경심이 그 권능에 닿을 수 있기를.
꽃 한 송이라도 피워내 보이기를.

제12장

독립

테오1
: 우물

내가 가지고 있는 건 뭘까
내가 할 수 있는 건 뭘까
내가 없는 건 뭘까

나를 계속 들여다본다

테오2

독립.
혼자 서는 것?
그런 건 잘 모르겠고요.
그냥 무겁고 버겁고 고독합니다.

내가 할 수 있는 게 맞는지. 다들 잘 해내는 것 같은데 나는 왜인지 점점 더 못하겠는 건지. 나의 유약함인지, 능력의 부족인지. 너무나 멋진 것이라는 건 알겠는데,

그냥... 안 하고 싶어지는 것이 솔직한 마음.

테오3

: 호모사피엔스의 독립

포유류, 조류, 어류, 파충류, 양서류, 곤충류…
대부분 생물의 생에서의 독립이란 부모의 곁을 떠나는 것을 의미할 것이다.
그렇다면 인간에게 독립은 언제일까.

스스로 경제력과 생활력을 가졌을 때일까
부모 되는 사람과 물리적으로 집이 분리되었을 때일까
사랑하는 이와 결혼하여 내 가정을 꾸렸을 때일까

2023년 3월 10일 첫 독립을 하게 된 날
호모사피엔스는 깨닫는다.

인간의 진정한 독립은 자립(自立)이라고

단순히 몸의 거리가 떨어져 있다고, 스스로 번 돈으로 생활하고 있다고 어른이라도 된 줄 알았다.
끈질기게 따라다니며 나를 괴롭게 하는 그들의 존재.
피는 물보다 진하다 했던가. 무시하고 살고자 할수록 영원히 무시할 수 없는 존재임을 뼈 깊이 각인시킬 뿐이다.

스물아홉의 독립은 애처롭게도 아직 진행형이다.

테오4

맨발로 해변의 모래벌판을 밟습니다.
발자국을 만들어 내밨습니다.
늦은 것인지 이른 것인지 이제 알 수 없는 세기이나 무엇 때문인지 많이 부끄럽습니다.
의문을 갖는 순간이지만,

그래도 뻔뻔해지며 더이상 두려워하지 않겠습니다.
드디어 제가 발걸음을 이어 갑니다.
제 앞에 꽃길을 만들어주지 않을지언정 눈길도 주지 말아주세요.
응원은 바라지 않으니 부디 탐하지 말아주십시오.
이대로 조용히 새겨가고 싶습니다.
제 알아서 시들어갈 터이니 이 창창한 낙엽 밭을 눈여겨보진 마세요.
가을 지나 겨울 오듯 조용해지겠습니다.
각자의 동절기를 버텨온 뒤에 이 내 길은 새싹을 돋우는 흙을 다져놓겠습니다.
그리고 이곳은 내 땅이오니 넘어오지 않았으면 좋겠습니다.